ISBN : 978-2-07-059963-9
Titre original : *Pip and Posy. The New Friend*
Publié par Nosy Crow Ltd, Londres
© Nosy Crow 2016, pour le texte
© Axel Scheffler 2016, pour les illustrations
Tous droits réservés
© Gallimard jeunesse 2016, pour la traduction française
Numéro d'édition : 298701
Loi n° 49-956 du 16 juillet 1949 sur les publications destinées à la jeunesse
Dépôt légal : avril 2016
Imprimé en Chine

# Pip et Prune

## Au bord de la mer

## Axel Scheffler

GALLIMARD JEUNESSE

Ce jour-là,
Pip et Prune allaient à la plage.

Ils déplièrent leur serviette.

– N'oublie pas de mettre de la crème, Pip,
dit Prune.

Ils ramassèrent plein de coquillages.

Ils creusèrent des petits trous.

Et ils pataugèrent dans l'eau fraîche.

Ensuite, Prune fit
une petite sieste.

Et Pip remarqua le garçon installé à côté d'eux.

– Salut, je m'appelle Zac, dit-il.
Tu veux jouer avec moi ?

– D'accord, répondit Pip.

Zac et Pip jouèrent au ballon.

Ils s'entraînèrent à faire le poirier…

Zac était vraiment très doué !

Zac prêta même à Pip
son masque et ses palmes.

Ils riaient tellement fort tous les deux
que cela réveilla Prune.

– Viens jouer avec nous, Prune ! s'écria Pip.

Mais Prune n'aimait pas trop
leurs nouveaux jeux.

Elle se sentait délaissée.

À l'heure du goûter, Pip et Zac décidèrent
d'aller acheter des glaces.

Prune courut pour les rattraper.

Mais, alors qu'ils venaient tout juste
de commencer à manger,
catastrophe…

Une méchante mouette fonça vers eux
et emporta la glace de Zac !

Oh, là, là !

Zac était dans tous ses états.

Pauvre Zac !